LE COLLÈGE INVISIBLE

TOME 7 ~ RETOURNUM À LA TERRUM

SCÉNARIO
ANGE

DESSIN
DONSIMONI

COULEURS
GIUMENTO

SOLEIL

Cet album est humblement dédié à Michel Delpech
pour avoir écrit et interprété l'immense chef-d'œuvre qu'est "Le Loir et Cher".
Ange

Un grand Boudiou de Merci à tous !
Rej

Merci à Fabio Bonechi pour son aide précieuse.
Cecilia

Des mêmes auteurs

Chez Soleil

Le Collège invisible
7 tomes parus

De Ange

Babel
Dessin de Janolle
2 tomes parus

Belladone
Dessin de Alary
3 tomes parus

Chevaliers Dragons
Dessin de Dohé

La Cicatrice du souvenir
Dessin de Paty
3 tomes parus

La Geste des Chevaliers Dragons
Dessin de Varanda
Tome 1
Dessin de Briones
Tomes 2 & 4
Dessin de Guinebaud
Tome 3
Dessin de Paty
Tome 5
Dessin de Sieurac
Tome 6

Kookaburra Universe
Dessin de Paty
Tomes 2 & 3

Némésis
Dessin de Janolle
Tomes 1 à 5
Dessin de Cifuentes
Tome 6

Paradis Perdu
Dessin de Varanda
Tome 1
Dessin de Xavier
Tomes 2 à 4

La Porte des Mondes
Dessin de Guinebaud
2 tomes parus

Le Souffle
Dessin de Xavier
1 tome paru

© **MC PRODUCTIONS / ANGE / DONSIMONI**
Soleil Productions
15, Bd de Strasbourg
83000 Toulon - France

Bureaux parisiens
25, rue Titon - 75011 Paris - France

Conception et réalisation graphique : Studio Soleil

Dépôt légal : Octobre 2007 - ISBN : 978 - 2 - 84946 - 979 - 8

Imprimé en France par Jean Lamour- Groupe Qualibris

TU CROIS QU'ILS SAVENT CE QU'EST UNE ASSIETTE ?

ET UNE ÉPONGE ?

VIRE TA MAIN !

ATTENTION, LES ENFANTS ! CHAUD DEVANT !

BON APPÉTIT ET RÉGALEZ-VOUS !

VZORK

ÇA BOUGE ENCORE ...

ÇA A BOUGÉ. JE SUIS SÛR QUE ÇA A BOUGÉ. SI ÇA SE TROUVE, C'EST ENCORE VIVANT.

C'EST PEUT-ÊTRE PRÉ-VOMI ?

LA VACHE... COMMENT TU VEUX MANGER ÇA ?

BEN, PAS COMME THOMAS, DÉJÀ ...

BAFFR GOINFR MÂCH MÂCH

PAR LES POUVOIRS DONT JE SUIS INVESTIE EN TANT QUE PROVISEUR DU COLLÈGE DE PÉQUALIRE, JE SOUHAITE LA BIENVENUE À NOS CAMARADES DU COLLÈGE INVISIBLE!

ILS DÉCOUVRIRONT QUE L'HOSPITALITÉ EST CHEZ NOUS UNE VERTU, BON APPÉTIT À TOUS!

ÇA VA ÊTRE LONG, CE SÉJOUR ...

ILS SONT GENTILS DE NOUS ACCUEILLIR EN ATTENDANT LA RECONSTRUCTION DU COLLÈGE*, MAIS ÇA VA ÊTRE SUPER LONG ...

ATTENDS, ON TROUVERA BIEN UN FAST FOOD DANS LE COIN ...

SANS MOI! CHEZ EUX, UN FAST FOOD DOIT JUSTE ÊTRE UN RAT QUI COURT PLUS VITE QUE LES AUTRES ...

② * VOIR LE TOME 6 "GALACTUS DESTRUCTOR".

4

THOMAS ! FRANCHEMENT, TU ASSURES PAS !

TU AS BAFFRÉ COMME UN PORC !

COMME UN CHIEN, PLUTÔT.

GUILLAUME, PAS PLUTO.

TU NE TE SOUVIENS MÊME PAS DE MOI... OK, J'AI COMPRIS.

JE SUIS NAVRÉ... JE NE SUIS PLUS UN CHIEN, MAIS J'AI COMME DES RETOURS D'ACIDE...

... LE GARDIEN DE LA RÉALITÉ A ANNULÉ LA BOULETTE DES CHAMANS,* MAIS DE TEMPS EN TEMPS, J'AI ENCORE ENVIE DE ME GRATTER L'OREILLE AVEC LE PIED.

TANT QUE C'EST QUE ÇA...

TU CROIS QU'IL...

STOP, N'Y PENSE PAS. ÇA VA TE PIQUER LES YEUX.

J'AI FAIT LE TOUR. C'EST UN TROU PERDU.

PAS ÉTONNANT QU'ILS SOIENT BONS EN MAGIE. ILS ONT LE TEMPS DE S'ENTRAÎNER.

ÇA VA, MON THOMAS ?

ÇA VA.

MAIS SI TU POUVAIS ARRÊTER DE ME CARESSER... ÇA VA FAIRE JASER...

DÉSOLÉ, J'AVAIS PRIS L'HABITUDE.

C'EST LE MOMENT DE LA RENDRE.

TU AS DES NOUVELLES DU RÈGLEMENT DU TOURNOI DE MAGIE ? ILS ONT DIT QU'ILS ALLAIENT FAIRE DES CHANGEMENTS POUR LA REVANCHE...

FORCÉMENT, APRÈS LA RACLÉE QU'ILS SE SONT PRISE LA DERNIÈRE FOIS.*

LES PROFS VONT BIENTÔT FAIRE UNE ANNONCE...

③

* CE SERAIT LONG À EXPLIQUER, MAIS LISEZ DONC LES TOMES 5 ET 6.
** ET LÀ, C'ÉTAIT DANS LE TOME 4.

IL N'EN EST PAS QUESTION !

VOUS ALLEZ TROP LOIN ! NOUS NE POUVONS ACCEPTER UNE TELLE PANTALONNADE !

LES RÈGLES DES TOURNOIS DE MAGIE ONT ÉTÉ INSTAURÉES PAR LE PREMIER MERLIN ! VOUS NE POUVEZ LES MODIFIER À VOTRE CONVENANCE !

LE MERLIN A ÉDICTÉ LES RÈGLES DES TOURNOIS, MAIS IL N'A JAMAIS PARLÉ DES REVANCHES, ALEISTER.

NOUS SOMMES DANS UN TOUT AUTRE CAS DE FIGURE, IL N'Y A AUCUNE RÈGLE CONCERNANT LES REVANCHES ET DANS CES CAS-LÀ C'EST LE COLLÈGE ORGANISATEUR QUI LES FIXE.

RAMSAY ?

C'EST LA CATA.

REVANCHE... REVANCHE NON, À PREMIÈRE VUE JE NE TROUVE RIEN... ATTENDEZ JE VAIS UTILISER UN MOTEUR DE RECHERCHE MAGIQUE...

GOOGLELUM6 !

NON, RIEN NON PLUS... ALEISTER, J'AI BIEN PEUR QUE VIVIANE N'AIT RAISON.

BIEN, CES MENUS DÉTAILS ÉTANT RÉGLÉS, NOUS POUVONS PASSER AUX CHOSES SÉRIEUSES.

LA REVANCHE DU TOURNOÏ DE MAGIE SE DÉROULERA DONC EN UN SEUL MATCH OPPOSANT LES DEUX MAGICIENS DU DERNIER DUEL DU TOURNOÏ PRÉCÉDENT.

J'AI NOMMÉ GUILLAUME POUR LE COLLÈGE INVISIBLE...

... ET MERLIN QUI REPRÉSENTERA LE COLLÈGE DE PÉQUAIRE.

C'EST LA CATA.

6

OUAIS! TU VAS LE MASSACRER!

ILS ONT DÉJÀ PERDU!

T'ES LE MEILLEUR!

VOUS N'Y CROYEZ PAS, HEIN?

PAS UNE SEULE SECONDE.

TU VAS MOURIR ET JE SAIS DE QUOI JE PARLE...

ILS ONT AXÉ TOUT LE PROGRAMME DE L'ANNÉE SUR LA MAGIE DE COMBAT...

T'AS AUCUNE CHANCE.

QUELQUE PART, J'AIME MIEUX ÇA... VOUS COMMENCIEZ À ME FAIRE PEUR.

TU POURRAIS DEMANDER À DRAGOUINET DE CRAMER TON COUSIN MERLIN? ÇA TE DONNERAIT UN AVANTAGE.

PAS DE DRAGONS DANS LES DUELS, TU SAIS BIEN...

TIENS, D'AILLEURS, OÙ EST DRAGOUINET?

DRAGOUINET! DRAGOUINET!

DRAGOUINET!

HOU?

FAITES ENTRER LES DUELLISTES !

H... HOU ?

DUELLISTES, DUELLISTES, FAUT PAS POUSSER... CONCURRENTS, COMPÉTITEURS, ADVERSAIRES, D'ACCORD, MAIS DUELLISTES...

SILENCE, MÉCRÉANT, NOUS SOMMES EN PRÉSENCE DES PROFESSEURS.

ÇA VA ÊTRE TRÈS TRÈS LONG...

ET TOI, FRANCHEMENT, TU ASSURES PAS...

MRF ?

TIENS-TOI ! IL EST TEMPS DE CHOISIR TON CAMP, CELUI DES GAGNANTS OU CELUI DES PERDANTS !

HOUUUUUUU...

ELLE VA SE FAIRE MAL !

DRAGOUINET ! ATTRAPE-LA !

SALE BÊTE ! C'EST LA DERNIÈRE FOIS QUE TU T'OPPOSES À MOI !

MAIS NON ! DRAGOUINET EST EN TRAIN DE LA SAUVER !

ARRÊTEZ, TOUS LES DEUX !

⑦

COMMENT ?

VOUS OSEZ M'INTERROMPRE ?

VOUS OSEZ M'INTERROMPRE DANS MA COLÈRE ? VOUS NE SAVEZ PAS JI QUI VOUS AVEZ AFFAIRE !

MERLIN ! QU'EST-CE QUE ...

NON, VISIBLEMENT PAS. MAIS TOI NON PLUS ...

ALEISTER, NON, C'EST UN ÉLÈVE !

REPOUSSUMG BOURRINUM !

MON PETIT, IL FAUT T'APPRENDRE QUELLE EST TA PLACE.

NGGGGH...

VOUS ME SOUS-ESTIMEZ, VIEILLARD !

VIEILLARD ? MERLIN !

ÇA SUFFIT !

MERLIN, CE COMPORTEMENT EST INTOLÉRABLE ! VOUS RISQUEZ L'EXCLUSION !

QUE CETTE CRÉATURE LÂCHE MA CHOUETTE ! SUR-LE-CHAMP !

TU ES SÛR ?

SUR-LE-CHAMP !

BON... C'EST LUI QUI VOIT, HEIN. DRAGOUINET, LÂCHE LA CHOUETTE.

HOU ?

MRF.

CRONCH

ALEISTER, VOUS AVEZ LANCÉ UN SORT CONTRE UN ÉLÈVE ! COMMENT AVEZ-VOUS PU...

IL EST BEAUCOUP PLUS FORT QU'AVANT. CE N'EST PAS NORMAL. IL VA MASSACRER GUILLAUME.

MAIS VOUS AVEZ PERDU LA TÊTE OU QUOI ? VOUS DONNEZ TROP D'IMPORTANCE À CETTE REVANCHE ! C'EST VOTRE HISTOIRE AVEC VIVIANE QUI...

TABATHA, TAISEZ-VOUS, CE N'EST PAS CE QUE VOUS CROYEZ. LE SORT QUE J'AI LANCÉ ÉTAIT SANS DANGER.

SANS DANGER MAIS EFFICACE. MÊME REHORUR N'AURAIT PAS PU Y RÉSISTER AUSSI FACILEMENT.

IL S'EST PASSÉ QUELQUE CHOSE, MERLIN A CHANGÉ ET JE NE SAIS MÊME PAS SI VIVIANE EST AU COURANT.

QUE COMPTEZ-VOUS FAIRE ?

ENQUÊTER. ALLEZ CHERCHER STÉPHANIE ÉTRANGE, J'AI BESOIN D'ELLE. SINON GUILLAUME N'A AUCUNE CHANCE.

MERLIN ! J'ATTENDS DES EXPLICATIONS SUR VOTRE COMPORTEMENT !

QUEL COMPORTEMENT ? VOUS NOUS RÉPÉTEZ TOUT LE TEMPS QUE NOUS DEVONS ÊTRE LES PLUS FORTS !

ENFIN, JE VOUS DONNE RAISON ET JE PRENDS LA PLACE QUI EST MIENNE ICI. CELLE DU CHAMPION DE PÉQUAIRE. CELUI QUE TOUS TROUVERONT TERRIBLE ET SUPERBE, QUE TOUS AIMERONT ET CRAINDRONT À LA FOIS !

MERLIN, VOUS PRENEZ LE DUEL TROP À CŒUR...

N'AYEZ AUCUNE CRAINTE. JE REMPORTERAI CE DUEL. ET À CE MOMENT PRÉCIS, J'AURAI MA VENGEANCE.

IL N'A AUCUNE CHANCE.

IL A LITTÉRALEMENT PÉTÉ UNE DURITE, LE COUSIN, JE NE L'AI PAS RECONNU...

ALLEZ, T'INQUIÈTE PAS, TU VAS L'AVOIR COMME LA DERNIÈRE FOIS...

ALORS, TU NOUS LE MONTRES ?

J'ADORE LES PRODUITS DÉRIVÉS DES ANNALES AKASHIQUES.

AKASHICUM HAPPYSLAPPINGEM !

OUAH, REGARDEZ !

ÇA VA ? TU T'INQUIÈTES POUR LE DUEL ?

JE LE SENS PAS... TEL QUE C'EST PARTI, L'UN DE NOUS NE S'EN SORTIRA PAS INDEMNE...

⑨

LES ÉLÈVES SONT PRIÉS DE RETOURNER DANS LEURS DORTOIRS. LE COUVRE-FEU DÉBUTERA DANS QUINZE MINUTES.

C'EST TROP BIEN, LA CAMPAGNE. ILS ONT BESOIN D'UN COUVRE-FEU, C'EST SÛR, QUAND LES DÉFENSES MAGIQUES SONT BRANCHÉES, TU NE VAS PAS FAIRE LE MUR...

C'EST UN ENFER, CE LIT.

LES DORTOIRS MIXTES, ÇA DÉCHIRE...

ÇA EMPÊCHE LES PAYSANS DE FAIRE DES DESCENTES. IL PARAÎT QU'ILS ADORENT CLOUER LES ÉLÈVES À LA PORTE DES GRANGES. ÇA PORTE BONHEUR.

ILS N'AIMENT PAS LES... THOMAS, QU'EST-CE QUE TU FAIS?

JE NE SAIS PAS, MAINTENANT QUAND JE ME COUCHE, C'EST PLUS FORT QUE MOI.

TU ES SÛR QUE TU ES GUÉRI?

OUI... OUI... ENFIN, JE CROIS... ENFIN C'EST PAS LA PLEINE LUNE AVANT LONGTEMPS. ET LÀ, C'EST LE RETOUR DES DENTS ET DES POILS...

ON N'EN EST PAS ENCORE LÀ. BON, JE PARS AVEC DRAGOUINET VOIR LES DRIMS. S'IL SE PASSE QUELQUE CHOSE. TU ABOIES.

HEU... TU ME PRÉVIENS EN COMMUNICATION ASTRALE.

TU VEUX PAS QUE JE VIENNE AVEC TOI?

NON, TU SERAIS CONTENT DE LES VOIR. ET QUAND TU ES CONTENT, TU REMUES LA QUEUE. ET... ET NON, ALORS.

MRF.

TU ES PRÊT, DRAGOUINET?

C'EST PARTI!

ET LE BONUS...

... UN BALAI DE SORCIER! J'AI TOUJOURS RÊVÉ DE FAIRE ÇA!

J'ESPÈRE QU'ILS ONT UNE BONNE EXPLICATION, AU MOINS. DISPARAÎTRE ALORS QU'ON AVAIT BESOIN D'EUX POUR SAUVER LE PETIT PEUPLE, ÇA LE FAIT PAS.*

GNF.

OK, ILS ONT EU PEUR DU GRAND DESTRUCTEUR. MAIS NOUS AUSSI ON EN AVAIT PEUR ET ON N'EST PAS PARTIS.

MRF.

D'ACCORD, NOUS, ON NE POUVAIT PAS PARTIR. JE VOIS CE QUE TU VEUX DIRE.

N'EMPÊCHE, ILS AURAIENT PU ME PRÉVENIR OU ME DONNER DES EXPLICATIONS ... MAIS NON, RIEN ...

J'ESPÈRE QU'AU MOINS ILS VONT BIEN NOUS ACCUEILLIR, LES RATS ...

HEU...

... IL Y A COMME UN PROBLÈME, LÀ ...

IL S'EST PASSÉ QUELQUE CHOSE ...

QU'EST-CE QUE C'EST QUE ÇA ?

HÉ! MAIS QU'EST-CE QUE ... ÇA PROGRESSE SUR MES DOIGTS!

MUIIIIIF!

* EN AYANT LU LE TOME 6, ON COMPREND MIEUX, HEIN ?

13

DRA...
GOUNET...

RHOOO...

FAUT...
PRÉVENIR...
PROFS...

REPARS...
PÉQUAURE...

MUiiiF?

AS...TRA...LIM...

AHHHH!

FFFFFU...
PFF...C'ÉTAIT
...

QU'EST-CE
QUE TU FAIS LÀ,
TOI?

QUOI?

CHUT!

ON ESSAYE
DE DORMIR!

ET C'EST DÉJÀ
ASSEZ DUR AVEC LES
RONFLEMENTS, ALORS
LES HURLEMENTS...

BEN JE SAIS
PAS, TU M'AS DIT DE
VEILLER SUR TOI, ÇA
M'A SEMBLÉ LE TRUC
À FAIRE.

T'ES PAS
GUÉRI, TOI
...

IL FAUT QUE
JE VOIS MADEMOISELLE
ÉTRANGE! TOUT DE
SUITE!

TU ES FOU!
LE COUVRE-
FEU!

C'EST PLUS
IMPORTANT QUE LE
COUVRE-FEU!

13

OÙ EST LE DORTOIR DES PROFS ?

GÉPÊHESSUM !

ALORS,... MADEMOISELLE ÉTRANGE,...

MAIS,... QU'EST-CE QU'ILS FONT,... ILS SONT TOUS DANS LA MÊME CHAMBRE,...

,... ILS SONT LES UNS SUR LES AUTRES OU QUOI ?

HEP LÀ-BAS ! C'EST LE COUVRE-FEU ! NE BOUGEZ PLUS !

J'AI VU QUELQU'UN !

TU ES SÛR ? ÇA PEUT ÊTRE N'IMPORTE QUOI, UNE OMBRE, UN NUAGE SUR LA LUNE,...

JE SAIS CE QUE J'AI VU,... JE SUIS SÛR QUE ,...

NEUF NEUF NEUF,...

HUIÏT!!! HUIÏT!!!

TU VOIS, CE SONT JUSTE LES PORCS,...

POURTANT, J'AURAIS JURÉ AVOIR VU QUELQU'UN. IL FAUT VÉRIFIER,...

LAISSE TOMBER, CONTINUONS LA RONDE.

NEUF, NEUF,...

PFFFF,... C'ÉTAIT CHAUD, LÀ,... HEUREUSEMENT QU'IL Y AVAIT LES PORCS ET QUE JE MAITRISE TOUJOURS EN VENTRILOQUIE ,...

D'UN AUTRE CÔTÉ, C'EST FACILE, IL Y A DES PORCS PARTOUT ICI ,...

ET MAINTENANT, SI JE POUVAIS AVOIR UN ITINÉRAIRE SANS PATROUILLES ET SANS RADARS ,...

J'ESPÈRE QUE JE NE VAIS PAS LES DÉRANGER... JE N'AI PAS ENVIE DE DEVENIR AVEUGLE...

TOC TOC

ENTRE, GUILLAUME!

JE NE VOUS DÉRANGE PAS? VOUS N'ÉTIEZ PAS EN TRAIN DE... JE NE SAIS PAS, MOI... FAIRE UNE PARTIE DE TWISTER?

UNE PARTIE DE TWISTER? C'EST UNE DRÔLE D'IDÉE... NON, STÉPHANIE EST EN MISSION ASTRALE POUR MONSIEUR LE PROVISEUR.

ET NOUS NOUS OCCUPONS DES CONTRE-MESURES AFIN QU'ELLE NE SE FASSE PAS REPÉRER.

MAIS... ET TOI, GUILLAUME? QU'EST-CE QUE TU FAIS LÀ?

JE REVIENS DE CHEZ LES DRIMS ET J'AI VU...

DES OMBRES... IL N'Y A QUE DES OMBRES...

BEN OUI, C'EST EXACTEMENT ÇA, CE QUE J'AI...

ARRRRGGHHHH!

STÉPHANIE!

TABATHA! ALLONGEZ-LA! GUILLAUME, VA CHERCHER DE L'EAU ET UNE SERVIETTE DANS LA SALLE DE BAINS.

JE... D'ACCORD!

ELLE A ÉTÉ ATTAQUÉE? PAR QUI?

C'EST CE QUE NOUS DEVONS SAVOIR!

VOUS NE COMPTEZ PAS SORTIR CETTE NUIT? J'ISOLE LA PIÈCE!

BLACKUM OUTUS!

VOUS N'AVEZ RIEN ENTENDU?

ARRÊTE! SI ON DOIT COURIR APRÈS TOUS LES PORCS DU BAHUT, ON A PAS FINI...

POURTANT, J'AVAIS CRU ENTENDRE UN CRI.

15

17

GGGGLLBB.

QUE LUI EST-IL ARRIVÉ ? ELLE A RENCONTRÉ QUELQUE CHOSE DANS L'ASTRAL ?

JE NE SAIS PAS, TABATHA... JE NE SAIS PAS.

JE VEUX DIRE ... DANS L'ASTRAL ... STÉPHANIE EST NOTRE MEILLEURE SPÉCIALISTE DE L'ASTRAL ... QUOI QUE CE SOIT QUI RÔDE, C'EST ASSEZ PUISSANT POUR LA METTRE DANS CET ÉTAT !

GUILLAUME, TU PARLAIS D'OMBRES AU MOMENT OÙ STÉPHANIE A EU SA CRISE ET TU DISAIS QUE TU VENAIS DE CHEZ LES DRIMS ...

QUELLES OMBRES ?

JE NE SAIS PAS, IL Y AVAIT DES OMBRES AU SOL QUI SE RAPPROCHAIENT DE MOI ...

... ET IL Y AVAIT CETTE MATIÈRE NOIRE QUI COLLAIT PARTOUT ET QUI A ESSAYÉ DE M'ENGLUER.

J'ENTENDAIS LES DRIMS, MAIS JE NE LES VOYAIS PAS. ILS DOIVENT ÊTRE RETENUS PRISONNIERS !

MONSIEUR, ELLE A DE LA FIÈVRE ET ELLE DÉLIRE.

TABATHA, FOUILLEZ LES ANNALES AKASHIQUES. IL NOUS FAUT LES ENREGISTREMENTS DES DERNIÈRES MINUTES.

ET CHERCHEZ AUSSI DANS LES ANNALES ASTRALES. NOUS VERRONS PEUT-ÊTRE CE QUI L'A ATTAQUÉE.

TOUT DE SUITE MONSIEUR. GUILLAUME, VIENS ME REMPLACER, S'IL TE PLAIT.

YOUTUBEN !

UNE NOUVELLE INTERFACE, TABATHA ?

IL FAUT SAVOIR VIVRE AVEC SON TEMPS, MONSIEUR.

MAIS ...

MADEMOISELLE TABATHA, MONSIEUR LE PROVISEUR ... NOUS AVONS UN AUTRE PROBLÈME !

DRAGOUNET N'EST PAS REVENU AVEC MOI !

MFFF?

GNF !

MiiiF!

MRRGGGF !

MiF?

ALORS, SALE BÊTE? TU ME RECONNAIS?

TU NE COMPTAIS PAS ME RETROUVER ICI, N'EST-CE PAS?

íiiiiKKK!

TU NE ME PENSAIS PAS CAPABLE DE TE RETROUVER DANS L'ASTRAL ET DE T'EMPÊCHER DE RETOURNER DANS LE MONDE RÉEL, N'EST-CE PAS?

JE NE VIS QUE POUR LA VENGEANCE. LES DRIMS ONT ÉTÉ LES PREMIERS À PAYER. ILS NE SONT PLUS QUE L'OMBRE D'EUX-MÊMES.

AHAHAHAH! JE SUIS TROP DRÔLE ! L'OMBRE D'EUX-MÊMES !

C'EST À TON TOUR À PRÉSENT ET LE PROCHAIN À TOMBER SERA TON MAUDIT MAÎTRE!

LA PROCHAINE FOIS IL RÉFLÉCHIRA DEUX FOIS AVANT DE M'HUMILIER!

íiiik!

17

19

CHAUD DEVANT, ÇA TACHE !

SPLAF !

BAHHH ! MAIS QU'EST-CE QU'IL ...

NON, LAISSE ... C'EST TROP TARD, JE CROIS ...

BAFFR ! MANJ !

GUILLAUME N'A PAS DE NOUVELLES DE SON DRAGON ?

NON, AUCUNE ... IL A CHERCHÉ TOUTE LA NUIT. IL N'A MÊME PAS DORMI ...

STÉPHANIE EST LA SEULE À POUVOIR SE LANCER DANS DES VÉRITABLES RECHERCHES DANS L'ASTRAL ... ET ELLE N'EST PAS EN ÉTAT DE LE FAIRE ...

JE N'AIME PAS ÇA ... ILS NOUS SAPENT NOS FORCES ...

MAIS ... QUI ?

JE NE SAIS PAS ...

J'IRAI VOIR STÉPHANIE APRÈS LE MATCH DES NA-DRAGONS. VOUS VOUS OCCUPEREZ DE LA SORTIE EN FORÊT.

NA-DRAGONS !

JE N'AI PAS BESOIN DE VOUS RAPPELER L'HUMILIATION SUBIE CONTRE L'ÉQUIPE DE PÉQUALIRE DANS L'ÉPREUVE PAR ÉQUIPE. NOUS ALLONS CE MATIN NETTOYER CET AFFRONT.

MÊME SI C'EST UNE RENCONTRE AMICALE, NOUS ALLONS GAGNER. NOUS NE NOUS SOMMES PAS ENTRAÎNÉS DES MOIS POUR RIEN, NOUS NOUS SOMMES ENTRAÎNÉS POUR BRILLER !

ET CE MATIN, J'ENTENDS BIEN QUE NOUS BRILLIONS !

OUAÏÏÏS !

20

* AMI LECTEUR, RELIS LE TOME 6...

EN VOITURE, SIMONE !

PROUT POUT POUT POUT

THOMAS, TU DEVRAIS REGARDER LA ROUTE SINON TU VAS ÊTRE MALADE. ET SI TU NOUS VOMIS DESSUS JE TE LE FAIS REMANGER '''

J'AI DÉJÀ FAIT PIRE '''

THOMAS, TU RÉPONDS AU LIEU DE HOCHER LA TÊTE ?

QU'EST-CE QU'IL FAIT ?

JE NE SAIS PAS ''', DÈS QU'IL MONTE DANS UNE VOITURE OU DANS UN CAR, IL SE MET À REGARDER LA ROUTE QUI DÉFILE EN REMUANT LA TÊTE COMME UN ''''

NON ''' ÇA PEUT PAS ÊTRE ÇA '''

IL A L'AIR CONTENT EN TOUT CAS '''

OUI, MAIS S'IL VOMIT ''' JE L'AURAI PRÉVENU '''

QUE SE PASSE-T-IL ICI ?

QUE VEUX-TU DIRE PAR LÀ, ALEISTER ?

TU SAIS TRÈS BIEN CE QUE JE VEUX DIRE. MES CADRES TOMBENT COMME DES MOUCHES '''

PETITES NATURES '''

LE FAMILIER DE MON CHAMPION A DISPARU''''

IL FALLAIT S'Y ATTENDRE AVEC UN DRAGON ''' SEUL UN SIMPLE D'ESPRIT POUVAIT CROIRE QU'IL RESTERAIT À JAMAIS '''

ET IL RÈGNE ICI UNE AMBIANCE MALSAINE !

IL RÈGNE ICI L'AMBIANCE QUI DOIT RÉGNER DANS UN DES MEILLEURS COLLÈGES DE MAGIE, ALEISTER. NOUS SOMMES MOINS COULANTS QUE VOUS, C'EST TOUT. MAIS NOUS OBTENONS D'AUTRES RÉSULTATS '''

TU N'ESSAYES PAS DE TE DÉFILER ET D'ANNULER LE DUEL, AU MOINS ?

NON ... NON ! BIEN SÛR QUE NON !

MAIS JE VEUX M'ASSURER QUE TOUT SE DÉROULERA AVEC UN MINIMUM DE FAIR-PLAY ...

UN MINIMUM DE FAIR-PLAY ? DOIS-JE TE RAPPELER LES ZONES D'OMBRE QUI ONT OBSCURCI LE DERNIER DUEL ?

J'EN AURAI LE CŒUR NET.

REVELUM MAGICKUM VISIONEM !

VIVIANE !

QUE ...!!

ALEISTER !

DEGAGEUM !

ON EST ARRIVÉS ! TOUT LE MONDE DESCEND !

QUOI ?

JE L'AVAIS PRÉVENU.

LES ENFANTS, UN PEU DE CALME. RAPPROCHEZ-VOUS, MADEMOISELLE FATASSE VA VOUS EXPLIQUER CE QUE NOUS ALLONS FAIRE.

VOUS ÊTES LÀ POUR ÉTUDIER LES CHAMPIGNONS ET LES RAMASSER, VOUS ALLEZ VOUS SERVIR DE VOS SORTS DE DÉTECTION DU DANGER POUR ÉLIMINER LES CHAMPIGNONS MORTELS.

ET NE VOUS TROMPEZ PAS, PARCE QUE SINON, L'OMELETTE DE CE SOIR PASSERA MOINS BIEN, HA HA HA !

ALLEZ ! ET QUE LA RÉCOLTE SOIT BONNE !

MADAME VIVIANE M'A DIT QUE TU ÉTAIS UNE DES TOUTES MEILLEURES ÉLÈVES DU COLLÈGE INVISIBLE AVANT DE DEVENIR PROFESSEUR.

HEU... OUI ?

EH BIEN MOI, C'EST PAREIL. JE SUIS SORTIE PREMIÈRE DU LYCÉE MAGIQUE AGRICOLE DE PETEZOUYE, AVANT D'INTÉGRER L'ACADÉMIE DU BERRY.

AH ?

OUI, ET JE SUIS LA PLUS JEUNE DIPLÔMÉE À ÊTRE DEVENUE PROFESSEUR À PÉQUALIRE.

ÇA NE SE VOIT PAS, MAIS JE SUIS ENCORE TRÈS JEUNE.

MADAME VIVIANE M'A DIT QUE TU AVAIS DES TATOUAGES, TU ME LES MONTRES ?

HEU... OUI... ENFIN, CE SONT DES TATOUAGES RITUELS DE MAGIE DE COMBAT. C'ÉTAIT MA SPÉCIALITÉ AVANT MON DIPLÔME.

ENFIN, TU SAIS, ÇA ME GÊNE, JE N'AIME PAS LES MONTRER... C'EST UN PEU...

AVEC MOI, TU NE CRAINS RIEN, REGARDE, J'EN AI AUSSI !

EN FAIT, JE SUIS UN PEU TON ÉQUIVALENT AU COLLÈGE DE PÉQUALIRE !

HEU... OUI... PEUT-ÊTRE... ON PEUT VOIR ÇA COMME ÇA...

COMME QUOI... IL N'Y A PAS TANT DE... DIFFÉRENCES... ENTRE NOS DEUX COLLÈGES...

JE VEUX !

PAF !

JE SENS QU'ON VA ÊTRE COPINES TOUTES LES DEUX ! ON A TANT DE CHOSES EN COMMUN !

23

DES CHAMPIGNONS? COMMENT ÇA SE TROUVE DANS UNE FORÊT? LES SEULS CHAMPIGNONS QUE J'AI JAMAIS ATTRAPÉS, C'ÉTAIT À LA PISCINE...

BEN OUI, VOUS SAVEZ BIEN QU'À LA PISCINE, IL FAUT SE MÉFIER DES SPORES NAUTIQUES...

ATTENDEZ... ON A UN MOYEN DE CHERCHER PLUS RAPIDEMENT

TU CONNAIS DES SORTS POUR TROUVER DES CHAMPIGNONS? TU AS TROP DE TEMPS LIBRE!

NON... J'AI MIEUX...

THOMAS?

THOMAS? VIENS THOMAS, VIENS!

OH ÇA VA, JE NE SUIS PAS TON...

... CHIEN?

THOMAS, CHERCHE! CHERCHE LES CHAMPIGNONS! CHERCHE!

VOUS NE DIREZ RIEN À GUILLAUME, D'ACCORD?

PROMIS, CRACHÉ!!

DRAGOUNET DOIT BIEN ÊTRE QUELQUE PART. IL Y A COMBIEN DE PLANS ASTRAUX?

NEUF

ET COMBIEN DE SOUS-DIMENSIONS PAR PLAN ASTRAL?

NEUF

ET EN THÉORIE, IL FAUT COMBIEN DE JOURS POUR EXPLORER UNE SOUS-DIMENSION?

NEUF

TU M'AIDES PAS, TOI...

NEUF NEUF...

MAIS...
QU'EST-CE
QU'ILS FONT
...

ILS ESSAYENT
PEUT-ÊTRE DE
LOCALISER DRAGOUINET !
JE PEUX SÛREMENT
LES AIDER !

OU PAS
...

VIVIANE !
ARRÊTE !

ALLEZ,
ALEISTER,
LAISSE-TOI
FAIRE !

MONSIEUR
LE PROVISEUR
...

GUILLAUME !
FAIS ATTENTION !

VIVIANE EST
POSSÉDÉE ! UTILISE
UN SORT DE ...

... NON, RIEN ...

MAIS
LAISSE-TOI ...
OUCH !

HAN !

BLAK !

UN SORT
D'ENTRAVE AURAIT
SUFFI, GUILLAUME
...

J'AI DÉJÀ DU
MAL À FAIRE MES LACETS,
ALORS UN SORT D'ENTRAVE,
JE NE CROIS PAS ...

VOUS
ALLEZ BIEN,
MONSIEUR ?

OUI, ENFIN NON, MAIS J'AI
MAINTENANT UNE ASSEZ
BONNE IDÉE DE CE QUI
SE PASSE ICI ...

25

SNF... SNF...

TIENS, ÇA SENT PAS LES CHAMPIGNONS, LÀ...

HEU...

NON, C'EST SÛR.

NON, ÇA SENT PLUTÔT LE...

PLOUK!

CRÉDIEU! ON VOUS AVAIT DIT DE NE PLUS VENIR DANS LES BOIS!

QUOI? QUELS BOIS?

BOUDIOU! ON VEUT PAS DE SORCIERS PAR CHEZ NOUS!

DES QUOI?

FAIS PAS L'INNOCENT, SORCIER!

CRÉNOM, ON EN A TROUVÉ D'AUTRES!

ILS DISENT QU'ILS CHERCHENT DES CHAMPIGNONS! À CETTE ÉPOQUE!

DES CHAMPIGNONS! BILLEVESÉES! ILS CHERCHENT DES HERBES DE SORCIER POUR LEURS POTIONS MALÉFIQUES!

MADEMOISELLE! ET MADEMOISELLE FATASSE? ELLE A ÉTÉ AUSSI CAPTURÉE?

NON, JE N'AI PAS COMPRIS. J'AI TOURNÉ LA TÊTE UN INSTANT ET ELLE AVAIT DISPARU.

ET CES EXCITÉS SONT APPARUS!

ON LES ZAPPE?

C'EST LE PROBLÈME... JE SAIS, C'EST MAL, MAIS J'AI ESSAYÉ. ET IL NE S'EST RIEN PASSÉ.

ILS RÉSISTENT À LA MAGIE...

SI ON VEUT S'EN SORTIR, IL FAUT UTILISER LA FORCE, QUOI...

LÀ, ON VA PERDRE...

PEUT-ÊTRE PAS...

BOUDIOU DE BOUDIOU! PAS DE MESSES BASSES! OU VOUS ALLEZ FINIR CLOUÉS À LA PORTE DE MA GRANGE! COMME LES SORCIERS QUE VOUS ÊTES!

VOUS POUVEZ ARRÊTER DE BOUGER VOTRE FUSIL, JE ME SENS BIZARRE...

29

BOUDIOU DE ...

CRÉNOM, LA GROSSE BÊTE...

BURPS ?

...BOUDIOU ?

BLEUARGH

MAIS QU'EST-CE QUE VOUS ATTENDEZ, CRÉNOM ?! TIREZ-LUI DESSUS !

LES CHASSEURS RÉSISTENT PEUT-ÊTRE À LA MAGIE, MAIS PAS THOMAS...

GILLETTUMG BAREBALLUMG !

BLAM BLAM BLAM

GRRRRRRR...

BOUDIOU ...

JÉSUS MARIE JOSEPH !

C'EST ÇA ! FUYEZ ! ET N'IMPORTUNEZ PLUS LES TERRIBLES SORCIERS DE PÉQUAIRE !

MAIS POURQUOI TU AS DIT ÇA ?

JE SAIS PAS, C'ÉTAIT SUR LE MOMENT, DANS LE FEU DE L'ACTION...

SNIF SNIF

J'AVOUE, À UN MOMENT, J'AI EU PEUR QU'IL NE SE TRANSFORME PAS...

IL AURAIT FALLU IMPROVISER...

AH BON, PARCE QUE LÀ, TOUT ÉTAIT PRÉVU?

MAIS QU'EST-CE QU'IL FAIT...

IL CHERCHE LES CHAMPIGNONS! SUIVEZ-NOUS!

ALLEZ, CHERCHE THOMAS, CHERCHE!

NON... C'EST PAS VRAI... IL A DE LA SUITE DANS LES IDÉES!

JE RISQUE LE CONSEIL DE DISCIPLINE ET LA RÉVOCATION MAIS JE NE VOIS PAS D'AUTRE SOLUTION.

JE SUIS PERSUADÉ QUE VIVIANE EST POSSÉDÉE PAR UNE ENTITÉ EXTÉRIEURE. UN PARASITE ASTRAL, SANS DOUTE, QUI LA CONTRÔLE COMME UNE MARIONNETTE.

STÉPHANIE, JE SAIS QUE VOUS ÊTES ENCORE FAIBLE MAIS J'AI BESOIN DE VOUS POUR NOUS SURVEILLER.

À LA MOINDRE ALERTE, VOUS NOUS RAMENEZ ICI.

JE VAIS FAIRE DE MON MIEUX, MONSIEUR...

NOUS?

TOUT CECI TOURNE AUTOUR DE TOI, GUILLAUME. TA PRÉSENCE DANS L'ASTRAL ATTIRERA PEUT-ÊTRE LE PARASITE. ET S'IL EST TROP PUISSANT POUR MOI, TU POURRAS PEUT-ÊTRE REVENIR ICI CHERCHER DE L'AIDE...

SUPER...

ET TABATHA?

J'AI ESSAYÉ DE LA JOINDRE, MAIS ÇA NE DOIT PAS CAPTER DANS LA FORÊT. JE LUI AI LAISSÉ UN MESSAGE SUR SON RÉPONDEUR ASTRAL.

TU ES PRÊT, GUILLAUME?

PRÊT, MONSIEUR.

ASTRALUM EXTRACTUM!

23

QUI'EST-CE QUE C'EST, MONSIEUR? ON DIRAIT ...

C'EST LA POSSESSION ASTRALE DE VIVIANE. C'EST CE QUE M'A RÉVÉLÉ MA VISION MAGIQUE. EN REMONTANT CETTE TIGE, NOUS PARVIENDRONS PEUT-ÊTRE À CELUI QUI LA CONTRÔLE.

NOUS SOMMES DANS UNE HARMONIQUE DE L'ESPACE ASTRAL ...

UNE QUOI?

UNE HARMONIQUE, UNE VIBRATION SPÉCIFIQUE À CETTE MATIÈRE NOIRE ... NOUS SOMMES UN PEU DÉCALÉS PAR RAPPORT À L'ESPACE PRINCIPAL. TU COMPRENDS?

TROP PAS.

CE N'EST PAS IMPORTANT. JE SUPPOSE QU'IL S'AGIT DE LA MÊME MATIÈRE QUE TU AS VUE DANS LE ROYAUME DES DRIMS?

OUI, MONSIEUR, ON DIRAIT DU RÉGLISSE CHAUD ...

NOUS POUVONS CONSIDÉRER QUE CELUI QUI CONTRÔLE VIVIANE GARDE ÉGALEMENT DRAGOUINET PRISONNIER.

MONSIEUR? COMBIEN DE TEMPS DRAGOUINET PEUT-IL TENIR DANS L'ASTRAL?

C'EST UNE CRÉATURE ASTRALE, GUILLAUME, IL PEUT Y SURVIVRE INDÉFINIMENT ...

ET IL S'EST FAIT ENGLUER?

S'IL EST PRISONNIER DE CETTE MATIÈRE, JE N'EN AI AUCUNE IDÉE AVANT DE L'AVOIR ÉTUDIÉE

... MAIS NOUS ALLONS PEUT-ÊTRE EN SAVOIR PLUS ... REGARDE!

C'EST LE ROYAUME DES DRIMS?

OUI ... ET LA TIGE DE POSSESSION PASSE À TRAVERS TOI, GUILLAUME ...

ENFIN, À TRAVERS LA STATUE DU SAUVEUR ...

MONSIEUR LE PROVISEUR ... CE N'ÉTAIT PAS COMME ÇA QUAND JE SUIS VENU ... IL Y AVAIT DES OMBRES, CETTE MATIÈRE NOIRE ...

... ET LÀ, IL N'Y A PLUS RIEN ...

C'EST L'HARMONIQUE. NOUS NE SOMMES PAS SUR LES MÊMES FRÉQUENCES ASTRALES. C'EST UN PEU COMME SI NOUS ÉTIONS DÉCALÉS D'UNE SECONDE PAR RAPPORT AU DÉROULEMENT DU TEMPS ... ATTENDS ...

... JE VAIS TE FAIRE TRAVERSER LA BARRIÈRE HARMONIQUE. UNE PARTIE DE TOI VA APPARAÎTRE DANS LE ROYAUME DES DRIMS, JE TE TIENS, TU NE RISQUES RIEN ...

GLUP ...

HARMONICUM TRAVERSUM !

HEU ... L'ÉCRASEMENT EN DEUX DIMENSIONS, C'EST ...

PLOP !

... OBLIGÉ ?

MONSIEUR LE PROVISEUR ! C'EST COMME LA PREMIÈRE FOIS ! LA MATIÈRE NOIRE ! LES OMBRES !

JE ... JE SENS QUE ...

JE VAIS CONTINUER À TE POUSSER.

MONSIEUR ! LES DRIMS ! CE SONT LES DRIMS ! MAIS ILS SONT ...

RHOOOOOOOO ...

RHOOO ! LE SAUVEUR EST REVENU !

REGARDEZ TOUS !

RHOOO

LA PROPHÉTIE SE RÉALISE ! RHOOO !

IL EST REVENU NOUS SAUVER DE KALIKA !

QUOI ?

31

CELA RÉPOND AUX QUESTIONS QUE JE ME POSAIS. C'EST TOUT À FAIT POSSIBLE.

ELLE EST REVENUE! RHOOO! ELLE ÉTAIT PAS CONTENTE!

ET ELLE CHERCHE À SE VENGER DE TOUS CEUX QUI L'ONT HUMILIÉE ...

C'EST UN CAUCHEMAR!

C'EST IMPOSSIBLE! KALIKA A ÉTÉ DISSIPÉE PAR MADEMOISELLE TABATHA!

OUI, GUILLAUME. LITTÉRALEMENT. SOUVIENS-TOI, KALIKA EST UN CAUCHEMAR.

MAIS ... MAIS ... SI ELLE EST REVENUE! C'EST ELLE QUI DÉTIENT DRAGOUNET!

BOUGEZ PAS, LES DRIMS! JE REVIENS!

GUILLAUME!

JE DOIS SAUVER DRAGOUNET!

QUITTE À CE QUE J'INSPECTE CHAQUE CENTIMÈTRE DE CETTE TIGE DE POSSESSION, JE TROUVERAI DRAGOUNET ET JE LE LIBÉRERAI!

GUILLAUME! ATTENDS!

RHOOO, LE SAUVEUR A DIT DE NE PAS BOUGER ...

MAIS RHOOO ... NOUS NE POUVONS PAS BOUGER!

... LA PROPHÉTIE SE RÉALISE ENCORE UNE FOIS! RHOOO! ELLE DIT QUE ... RHOOO ... LE SAUVEUR A TOUJOURS RAISON!

RHOOO ... J'AURAIS TOUT DE MÊME DÛ LUI DIRE OÙ SE CACHAIT LA TERRIBLE KALIKA ...

PAS DE SIGNAL D'ALERTE, LES CONSTANTES AKASHIQUES SONT AU VERT.

VIVIANE NE BRONCHE PAS, C'EST BON SI....

iiiiik

QUE....

PAS DE CONCLUSION HÂTIVE! JE VAIS TOUT T'EXPLIQUER!

PAS BESOIN D'EXPLICATION, J'EN AI ASSEZ VU!

ELLE EST POSSÉDÉE, C'EST ÇA?

HÉLI....

CELA FAIT QUELQUES SEMAINES QUE J'AI DES SOUPÇONS ... MADAME VIVIANE NE RÉAGIT PAS COMME D'HABITUDE....

MAIS.... TU....

CETTE OBSESSION DE REMPORTER LE TOURNOI ET D'HUMILIER LE COLLÈGE INVISIBLE....

JE NE POUVAIS RIEN FAIRE! JE VEUX MA REVANCHE, BIEN SÛR! MAIS PAS AU POINT DE TRICHER, DE CHANGER LES RÈGLES ET DE METTRE EN DANGER D'AUTRES ÉLÈVES.

J'ESPÈRE QUE VOUS NE M'AVEZ PAS SOUPÇONNÉ!!

LAISSEZ-MOI VOUS AIDER, JE VAIS VOUS DIRE CE QUE JE SAIS.

DRAGOUNET!

DRAGOUNET!

DRAGOUNET!

GUILLAUME, SOIS PRUDENT, LES MENACES ASTRALES SONT....

JE ME MOQUE DES MENACES! JE VEUX RETROUVER DRAGOUNET!

MOI AUSSI, MAIS NOUS N'AVONS AUCUN MOYEN DE LE LOCALISER NOUS POUVONS CHERCHER, MAIS DANS L'ESPACE ASTRAL, CELA PEUT PRENDRE UN TEMPS INFINI!

SI NOUS L'AVIONS DÉJÀ TROUVÉ UNE FOIS MAGIQUEMENT SUR TERRE, NOUS AURIONS PU....

NOUS AURIONS PU QUOI?

DU CALME, GUILLAUME! NOUS AURIONS PU ESSAYER DE REPRODUIRE LE SORT DANS L'ASTRAL ....

JE N'AI JAMAIS EU À LE CHERCHER, DRAGOUNET VIENT QUAND JE L'APPELLE D'HABITUDE. JE....

QUOI?

LES NAINS!

③③

QUOI ?

LES NAINS ! LES LUTINS, QUOI !

ILS ONT LANCÉ UN SORT DE LOCALISATION DE DRAGOUNET LORS DE L'ATTAQUE DU GRAND DESTRUCTEUR.

VOUS POUVEZ LE REPRODUIRE ? C'EST ÇA ?

JE ... C'EST LA MAGIE DES LUTINS ... JE NE SAIS PAS SI ...

BAH, ESSAYEZ AU MOINS !

LES CHAPITRES AKASHIQUES SONT SITUÉS DANS L'ESPACE ASTRAL, C'EST BEAUCOUP PLUS SIMPLE DE LES ATEINDRE D'ICI ... LAISSE-MOI UN INSTANT ...

LÀ ... C'EST LÀ ...

VITE ! VITE !

COPIEM SORTILEGICUM AKASHICUM !

COLLEM SORTILEGICUM !

VITE ! IL FAUT ... BON, D'ACCORD ...

ELLE S'EST ARRÊTÉE, C'EST LÀ !

DRAGOUNET ! ON VA TE SORTIR DE LÀ !

NGGGHHHIII !

IL EST À L'INTÉRIEUR, MAIS JE NE SAIS PAS SI ....

SI QUOI ?!

DRAGOUNET NE BOUGE PAS ....

QUOI ?

JE ....

JE SAIS ! JE N'AI QU'À ME DÉPLACER DANS LES HARMONIQUES ET ATTEINDRE DRAGOUNET À TRAVERS LA MATIÈRE NOTRE !

MAIS GUILLAUME ! SI TU TE DÉPLACES, TU NE TROUVERAS PAS DRAGOUNET ! TU SERAS DÉCALÉ PAR RAPPORT À LUI !

J'AI UNE IDÉE ! IL FAUT QUE J'ESSAYE !

TU LE VOIS ?

C'EST NORMAL, VOUS ÊTES DÉPHASÉS !

NON, JE VOIS À L'INTÉRIEUR, MAIS JE NE LE VOIS PAS ....

OUI, MAIS DRAGOUNET PEUT BOUGER DANS L'ASTRAL, IL PEUT PASSER DE L'ASTRAL À NOTRE ESPACE ....

DRAGOUNET ? TU M'ENTENDS ?

DRAGOUNET ? C'EST MOI, C'EST GUILLAUME ....

DRAGOUNET, TU DOIS POUVOIR M'ENTENDRE, MÊME SI TU NE ME VOIS PAS ....

CHERCHE-MOI .... LAISSE-TOI GUIDER .... CHERCHE MA MAIN ....

TU PEUX LE FAIRE, DRAGOUNET ! TU PEUX CHERCHER MA MAIN ! C'EST COMME PASSER DANS L'ASTRAL, TU SAIS LE FAIRE.

CHERCHE MA MAIN ! ON VA TE SORTIR DE LÀ !

DRAGOUNET ! S'IL TE PLAÎT ....

GNIF!...

DRAGOUNET! TU ES LÀ! VIENS VERS MOI!

MRF!

ENCORE UN PEU!

MRIIF!

GNNNF!

ÇA Y EST!

MRF!

ACCROCHE-TOI, DRAGOUNET!

ON S'ARRACHE!!!

IL A L'AIR TOUT FAIBLE! QU'EST-CE QU'IL A?

CE PARASITE ASTRAL EST CANNIBALE! LES TENTACULES DEVAIENT ABSORBER TOUTES SES FORCES.

IL FAUT QUE DRAGOUNET SE NOURRISSE LE PLUS VITE POSSIBLE!

D'ACCORD, MAIS AVEC QUOI?

VIVIANE NE REVIENT PAS À ELLE. VOUS DEVEZ PRENDRE UNE DÉCISION.

IL RISQUE DE LA DÉVORER DE L'INTÉRIEUR. SI VOUS ATTENDEZ, IL SERA TROP TARD.

MAIS... ALEISTER ET GUILLAUME... ILS SONT DANS L'ASTRAL ET LEUR POINT D'ENTRÉE EST L'ESPRIT DE VIVIANE.

ILS S'EN SORTIRONT! VOTRE PROVISEUR EST PUISSANT! MAIS IL NE FAUT PLUS ATTENDRE...

VOUS DEVEZ AGIR!

VOUS DEVEZ EXORCISER VIVIANE!

LE PARASITE ASTRAL DOIT ÊTRE IMPLANTÉ DEPUIS TRÈS LONGTEMPS. PEUT-ÊTRE DEPUIS LE DUEL ENTRE LES DEUX COLLÈGES.

NON, CE N'EST PAS POSSIBLE! CELA RISQUE DE LA... NON, JE NE PEUX PAS PRENDRE CETTE DÉCISION TOUTE SEULE!

CHERCHE, THOMAS, CHERCHE!

IL LE FAUT! SINON, LE PARASITE RISQUE DE CONTAMINER CETTE RÉALITÉ!

JE... JE NE SAIS PAS...

SNIF? SNIF?

ON VA VRAIMENT SE FAIRE TAILLER SI ON NE RAPPORTE PAS DE CHAMPIGNONS?

ON POURRAIT PEUT-ÊTRE RENTRER AU COLLÈGE?

PROFITEZ! ON DIRAIT QUE ÇA VOUS GÊNE DE MARCHER DANS LA BOUE?

C'EST UNE QUESTION PIÈGE?

ON NE PEUT PAS DIRE ÇA, NON, MAIS OUI, EN FAIT.

THOMAS! REVIENS! NE PARS PAS TOUT SEUL!

QU'EST-CE QUE TU AS SENTI?

NON...

IL A TROUVÉ DES CHAMPIGNONS, APRÈS TOUT...

JE LE SAVAIS...

GRRRRR

NEUF NEUF NEUF.

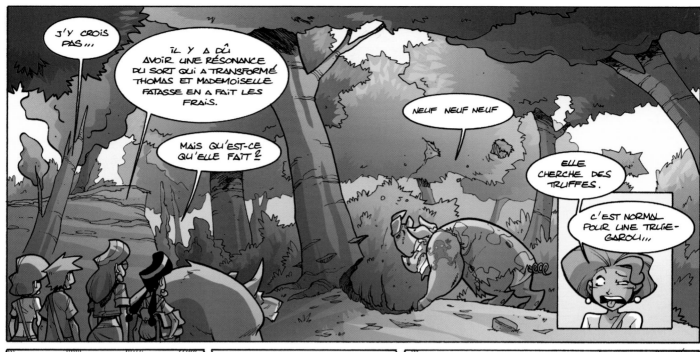

J'Y CROIS PAS...

IL Y A DÛ AVOIR UNE RÉSONANCE DU SORT QUI A TRANSFORMÉ THOMAS ET MADEMOISELLE FATASSE EN A FAIT LES FRAIS.

MAIS QU'EST-CE QU'ELLE FAIT ?

NEUF NEUF NEUF

ELLE CHERCHE DES TRUFFES.

C'EST NORMAL POUR UNE TRUIE-GAROU...

GRUIK ?

GRRRRR

GRAAAOU!

GRAAAR!

GRUIIIIIIK!

VAS-Y THOMAS! ATTAQUE!

AHHH, MAIS QU'EST-CE QU'ELLE FAIT! C'EST DÉGOÛTANT!

ZONE DE COUVERTURE ASTRALE RÉTABLIE, VOUS AVEZ UN MESSAGE.

GNF !

PLOUTCH

REGARDEZ-LE ! IL EST EN PLEINE FORME !

CE PETIT ANIMAL NE CESSE DE M'ÉTONNER ...

MONSIEUR LE PROVISEUR ...

JE CROIS QUE NOUS AVONS UN PROBLÈME ...

LE PARASITE SE RÉVEILLE !

DRAGOUNET ! REVIENS VITE !

IL VEUT NOUS ISOLER !

MRF !

DRAGOUNET !!!

33

LES CONSTANTES AKASHIQUES S'AFFAIBLISSENT! IL SE PASSE QUELQUE CHOSE!

MAIS JE VOUS LE DIS, VOUS DEVEZ AGIR, SINON, IL SERA TROP TARD.

IL N'EST PAS QUESTION QUE S'EXORCISE VIVIANE, DANS SON ÉTAT, CELA RISQUE DE LA TUER.

VOUS PRÉFÉREZ QUE LE PARASITE LES TUE ET S'ATTAQUE ENSUITE À NOUS, C'EST ÇA?

LE PARASITE EST PEUT-ÊTRE EN TRAIN DE LES TUER LÀ-DEDANS!

GUILLAUME!

JE N'AI AUCUN DOUTE SUR LE FAIT QUE CES POINTES ASTRALES NOUS EMPALENT RÉELLEMENT SI ELLES NOUS TOUCHENT.

MONSIEUR LE PROVISEUR, JE NE PARTIRAI PAS SANS DRAGOUNET.

DRAGOUNET!

DRAGOUNET!

LAISSEZ-MOI VOUS AIDER!

MAIS....

REGARDEZ, LES CONSTANTES S'EFFONDRENT! À CE RYTHME-LÀ, NOUS PERDRONS TOUT CONTACT AVEC EUX DANS QUELQUES SECONDES!

ET À CE MOMENT-LÀ, IL SERA TROP TARD. EXORCISEZ-LA! MAINTENANT!

JE....JE....

REGARDEZ! IL Y EST PRESQUE!

ÇA VEUT DIRE QU'IL N'EST PAS ENCORE LÀ! JE NE PEUX PLUS TENIR!

42

OCCUPONS-NOUS DE NOTRE PETIT AMI, POUR QU'IL SOIT EN PHASE AVEC NOUS.

ASTRALUMS BALANCUMS!

MON DRAGOUINET À MOI ! TU ME QUITTES PLUS, HEIN ?

MRF !

MONSIEUR, POURQUOÏ AVOIR RAMENÉ UN DRIM SUR TERRE ?

IL SE TROUVE QUE LES DRIMS SONT UN PEU À L'ORIGINE DE LA CRISE QUE NOUS VENONS DE TRAVERSER...

CRISE QUI VA BIENTÔT ÊTRE TERMINÉE...

RHOOO, C'EST JOLI CHEZ VOUS...

MAIS COMMENT LES DRIMS...

DEPUIS LE DÉBUT, LE PARASITE CHERCHE À SE VENGER. DES DRIMS, DE GUILLAUME ET DE DRAGOUINET, DE VOUS, DE TABATHA, DE MOI... C'ÉTAIT TRÈS CIBLÉ.

RHOOO, C'EST LA MAISON DU SAUVEUR ?

NON, PAS TOUT À FAIT... GENTIL DRIM, SAIS-TU OÙ SE CACHE...

KALIKA ?

RHOOO PEUR !

KALIKA, LE CAUCHEMAR QUI TENAIT LES DRIMS SOUS SON JOUG ET QUI A FAILLI NOUS TUER ? *

KALIKA POSSÈDE VIVIANE ? VOUS POUVEZ L'EXORCISER ?

OUI, MAIS IL N'Y A QUE DEUX SOLUTIONS. QUE LE PARASITE DÉCIDE DE LUI-MÊME DE QUITTER LE CORPS DE SON HÔTE. OU QUE JE L'EXPULSE DE FORCE.

MAIS CELA COMPORTE DES RISQUES TERRIBLES POUR SON HÔTE.

N'EST-CE PAS, MERLIN ?

QUOI ? HEU... OUI.

C'EST CE ... CE QUE J'EXPLIQUAIS À MADEMOISELLE ÉTRANGE EN VOUS PROTÉGEANT !

* VOIR LE TOME 3.

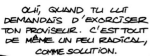

OH, QUAND TU LUI DEMANDAIS D'EXORCISER TON PROVISEUR. C'EST TOUT DE MÊME UN PEU RADICAL, COMME SOLUTION.

VIENS LÀ, PETIT BONOMME.

MAIS... PLUS ON ATTEND, PLUS LE PARASITE SE RENFORCE!

ET SURTOUT, SI ON LOBOTOMISE VIVIANE, ON ÉVITE DE SE POSER TROP DE QUESTIONS...

MAIS LES PREUVES... ELLE... ELLE A PRESQUE RÉUSSI À ME PERVERTIR...

C'EST VRAI, S'IL TE PLAÎT, TIENS-MOI ÇA UN INSTANT.

POURTANT, JE ME POSE UNE QUESTION. DEPUIS QUAND VIVIANE EST-ELLE INFECTÉE? COMMENT EST-CE POSSIBLE?

COMMENT UN VULGAIRE PARASITE A-T-IL PU POSSÉDER UNE MAGICIENNE DU DOUZIÈME CERCLE?

VULGAIRE...

C'EST UN PEU FORT...

ÇA SUFFIT! UN PEU D'ESPACE!

DRAGOUNET! VA!

VOUS M'INSULTEZ, PETIT HOMME! VOUS ALLEZ AFFRONTER MON COURROUX! ET CE SERA ENSUITE LE TOUR DE TOUS! TOUS, VOUS M'ENTENDEZ!?

ARRÊTE DE HURLER, KALIKA...

... IL FAUDRAIT ÊTRE SOURDE POUR NE PAS T'ENTENDRE!

45

SORCIÈRE!

TU ES LÀ DEPUIS LE PREMIER DUEL ENTRE LES DEUX COLLÈGES, N'EST-CE PAS?

QUAND GUILLAUME A TRANSPORTÉ MERLIN CHEZ LES DRIMS, C'EST ÇA?

C'EST... C'EST MA FAUTE?

PAS PLUS QUE LA MIENNE, GUILLAUME, JE N'AI PAS SU LE VOIR NON PLUS.

RHOoo! ÇA CRAINT!

QU'IMPORTE QUE VOUS SACHIEZ... JE SUIS TOUJOURS LA PLUS TERRIBLE! BIENTÔT VOUS NE POURREZ PLUS M'ARRÊTER. MES SPIRES DE CAUCHEMAR S'ENFONCENT DANS VOTRE MONDE ET ...

MAIS POURQUOI FAUT-IL QUE LES MÉCHANTS PARLENT TOUT LE TEMPS?

GRANDE KALIKA! DE GROS NUAGES POILUS S'AMONCELLENT AU-DESSUS DE VOTRE TÊTE.

TÉLÉPORTUM!

HUH!

GRRRRRAAAR!

GRUIIIIIK!

GROAAAR!

GRUIK?

PLOUK!

MAINTENANT. AVEC TOUT CE QUE VOUS AVEZ.

44

46

COMMENT ÇA, J'AI GAGNÉ ?

MRF ?

LES RÈGLES ÉTAIENT CLAIRES, LE TOURNOI SE JOUAIT SUR UN SEUL DUEL, ENTRE MERLIN DE PÉQUNUIRE ET TOI. IL N'Y A EU AUCUNE MALVERSATION...

"... ET LE COLLÈGE DE PÉQUNUIRE A DÉCLARÉ FORFAIT. TU AS GAGNÉ.

LE COLLÈGE INVISIBLE EST VAINQUEUR.

OUAIS !

ON A GAGNÉ !

ON LES A ÉCRASÉS, LES BOUSEUX !

ON EST LES MEILLEURS !

SMOUCH !

SANS RANCUNE, TABATHA, NOUS ÉTIONS TOUS CONTRÔLÉS PAR KALIKA !

ON POURRAIT SE REVOIR, COMPARER LES SORTS DE COMBAT, TU ME LAISSES TON TÉLÉPHONE ?

HEU...

DANSTESREVUMG !

T'ES TROP GENTILLE, MERCI !

J'AURAIS AIMÉ QUE CELA SE PASSE AUTREMENT...

"... MAIS LES MEILLEURS ONT GAGNÉ. NOUS N'AVIONS PAS REPÉRÉ LA POSSESSION DE MERLIN.

QUI SAIT CE QUI SE SERAIT PASSÉ SI TU N'ÉTAIS PAS INTERVENU...

OUI, VIVIANE, NOUS NE VOULONS PAS NOUS ATTARDER PLUS.

QUAND NOUS NOUS REVERRONS, LA RIVALITÉ DES DEUX COLLÈGES NE SERA PLUS QU'UN MAUVAIS SOUVENIR.

TU ES SÛR DE VOULOIR PARTIR SUR-LE-CHAMP ?

HEU, MONSIEUR, IL FAUDRAIT Y ALLER, LÀ ... LES SORTS DE TÉLÉPORTATION SONT PRÊTS, NOUS N'ATTENDONS PLUS QUE VOUS. S'ILS ARRIVENT AVANT QUE...

AH OUI, C'EST VRAI DANS CE CAS ...

RETOURGNOUMG COLLEGIUMG !

MAIS POURQUOI ÉTAIENT-ILS AUSSI PRESSÉS DE PARTIR ?

ANGE / DONSIMONI 2007.